SEGHERS JEUNESSE

Dans la même collection

Jacques Roubaud, *Les Animaux de tout le monde*
  Postface de Dominique Moncond'huy

Jacques Roubaud, *Les Animaux de personne*
  Postface de Dominique Moncond'huy

Italo Calvino, *Forêt-Racine-Labyrinthe*
  Postface de Benoît de La Brosse

Guillevic, *Pas si bêtes !*
  Postface de Danièle Henky

Paul-Émile Victor, *Poèmes eskimo*
  Postface d'Anne Dieusaert et de Danièle Henky

J.-M.G & J. LE CLÉZIO

SIRANDANES

*suivies d'un petit lexique
de la langue créole et des oiseaux*

Postface de Danièle Henky

SEGHERS JEUNESSE

Loi n° 49-959 du 16 juillet 1949
sur les publications destinées à la jeunesse

© Éditions Seghers, Paris, 1990
© Éditions Seghers Jeunesse, Paris, 2005
ISBN 978-2-232-12266-8

À Marie-Michèle de Blue Bay

Préface

de J.-M.G. Le Clézio

Sirandanes ? Sampek !

Il y a des milliers d'années, la nuit, autour d'un feu, dans une caverne, hommes, femmes, enfants s'exercent à cet art des devinettes qui les fait rêver, qui chasse toutes les peurs et crée tous les mystères.

Beaucoup de peuples ont cultivé cet art des questions et des réponses. Pour eux, cela se mêlait à l'imaginaire sacré des mythes, aux récits fabuleux de la première histoire. Les nations indiennes en firent parfois un rituel, comme cela apparaît dans le questionnaire du « langage de Zuyua », transcrit par les fameux « livres du Chilam-Balam » des Mayas du Yucatán. La devinette est alors beaucoup plus qu'un jeu de mots ; elle est une véritable épreuve par la parole, qui relie l'homme au secret de la création : « Fils », est-il dit dans les « livres du Chilam-Balam », « as-tu vu les vieilles femmes qui emmènent leurs petits-enfants ? » Ou bien : « Fils, apporte-moi la luciole de la nuit. Son parfum se répandra au nord et à l'ouest. Apporte avec elle le coup de langue du jaguar. » Celui qui n'aura pas compris qu'on lui parle des doigts de pied, et qu'on lui demande un cigare et du feu pour l'allumer, celui-là sera exclu de la communauté ; il sera même parfois mis à mort. Car il y a toujours la profondeur de la mort dans les jeux de la parole et, s'ils semblent détourner l'attention pour provoquer le rire, ils affirment toujours la nécessité d'identité du monde tribal ; ils sont le trésor commun d'un peuple.

Tous les peuples ont leurs devinettes. Mais il y a un peuple qui a su pousser cet art jusqu'à la perfection, jusqu'à la poésie même : c'est le peuple mauricien. En venant de la « grand-terre » – de Madagascar, d'Afrique – sur les bateaux négriers, les esclaves ont apporté avec eux le goût de l'étrange, le pouvoir de l'imaginaire. Leur sens de l'humour, leur malice, leur tendresse aussi – ces armes contre le malheur –, ils les ont mis dans un genre qui est propre à l'île de France, et qu'ils appellent *sirandanes*.

Qu'est-ce que les sirandanes ? Ce sont des devinettes qui portent sur la vie quotidienne à l'île Maurice, devinettes qui suivent un ordre presque rituel, que chacun connaît, mais que tout le monde est toujours prêt à entendre.

Sont-elles vraiment des devinettes ? Elles sont plutôt des mots-clés, qui permettent à la mémoire de s'ouvrir, et de révéler le trésor caché. Ces «demoiselles» qui se tiennent la tête en bas au bord du chemin, ou cet animal qui porte un habit mais n'a pas de culotte, dans lesquels tous les enfants de Maurice auront reconnu les bananiers et le cancrelat, ne proposent pas vraiment d'énigme. Mais en révélant leur nature étrange, drolatique, la sirandane les réinvente. La surprise a lieu, comme dans le *mondo* de la philosophie zen japonaise, et la vie, avec l'esprit, peut jaillir.

La vie : un regard neuf sur le monde, sur les êtres et les choses. L'univers des sirandanes est un lieu sans frontière, où nul n'est séparé. Les végétaux, les animaux, les hommes et les éléments sont encore très proches les uns des autres, comme au premier moment de la création. Ici, dans cet univers primordial, les plantes ont la gale, les rivières marchent, le feu et l'eau sont semblables à des animaux, et l'homme peut être tour à tour pierre, arbre ou poisson. Ici les animaux, comme dans les premiers contes, sont parents de l'homme, son grand-papa, ou sa grand-maman, son oncle ou son cousin, ils partagent avec lui la même terre, la même eau. L'arbre qui tombe, et devient pirogue, est un « mort qui porte le vivant », et la peau du bœuf qui sert à fabriquer les souliers de l'homme est un « mort qui conduit le vivant ». La fontaine est une demoiselle – n'est-elle pas fée chez les Celtes ? Et le ciel un jardin immense semé de « grains ».

On voudrait parler d'animisme. C'est la leçon philosophique des sirandanes, cet art de la parole si léger et si grave. Il y a, je crois, un message étrange qui est venu de la « grand-terre », ou peut-être même du cœur de l'Afrique, et qui a gardé la vérité profonde des religions et des mythologies premières, qui a conservé cette connivence entre les hommes et leur monde, ce lien qui unit les premiers chasseurs et les premiers collecteurs à la savane et à la forêt. On sent ici la force des éléments, le ciel, les orages, les vents, la puissance de la vie dans tous ses dessins, dans tous ses gestes, car c'est elle qui cache un visage d'enfant sous la barbe de vieillard de la noix de coco, c'est elle qui donne son pouvoir au piment si petit, et son privilège à la « grand-maman » araignée qui seule peut franchir le pont qu'elle a fait. Cet univers n'est pas puéril, il est simplement attentif, sans cesse réinventé par la surprise, ou par le rire. Et parfois, dans la sirandane, l'on entend la voix d'une ancienne sagesse, apportant avec elle le mystère du plus vieux des continents.

« *Ki ser mo papa napa mo matant ?* » dit la sirandane. Qui est sœur de mon père et n'est pas ma tante ? Et la réponse est étrange, inquiétante : « *Disan* » : le sang.

Il y a ici, sous l'apparence rassurante d'un jeu, une sagesse ancienne, nourrie par les racines d'un peuple tout entier. Les sirandanes mauriciennes ne sont pas là seulement pour nous faire rire, pour nous distraire. Elles ont joué, et elles continuent de jouer un rôle important dans l'éducation des enfants de l'île Maurice, leur enseignant à mieux connaître les êtres et le monde, à mieux se connaître, à garder son optimisme, même dans les temps *margoz*, les temps amers de la misère et de l'esclavage. Aujourd'hui, plus d'un siècle après le recueil publié par l'érudit mauricien M. Baissac, n'est-il pas surprenant qu'elles n'aient pas changé, ni vieilli ? Mais le pouvoir des sirandanes, comme celui de la langue créole, est le pouvoir de la jeunesse, qui survit au modernisme et aux bouleversements sociaux. Aujourd'hui, dans l'île Maurice du tourisme, de l'industrie et des crises, quel est l'avenir de cette langue créole et de son pouvoir imaginatif ? Combien de temps encore entendrons-nous les proverbes, les sirandanes, les *ségas* ? Mais pour ressentir le pouvoir de leur jeunesse, aujourd'hui encore, il suffit d'aller n'importe où dans l'île, dans les villages cachés au milieu des plantations de canne, ou bien vers un pêcheur qui débarque de sa pirogue, à Mahébourg, et de prononcer les premiers mots par lesquels commence toute la magie :

« Sirandane ?
– Sampek ! »

Note : La transcription de la langue créole posant quelques difficultés, nous avons adopté l'alphabet phonétique simplifié, qui correspond à la tentative actuelle de faire de la langue créole la langue officielle écrite de l'île Maurice. Dans cette transcription, le *e* correspond toujours au son *é*, le *u* au son *ou*. Le *g* est toujours dur. Les autres sons ne présentent pas de difficulté.

Sirandanes

Sirandane ?
– *Sampek !*

Dilo dibut ?
– *Kann.*
De l'eau debout ?
– La canne à sucre.

Dilo ampandan ?
– *Koko.*
De l'eau qui pend ?
– La noix de coco.

Dilo durmi ?
– *Ziromon.*
De l'eau couchée ?
– La courge.

Piti bat manman ?
– *Laclos.*
L'enfant bat sa mère ?
– La cloche.

Piti kraz manman ?
– *Laros kari.*
L'enfant écrase sa mère ?
– La pierre à cari.

Tambur lor anba later ?
– *Safran.*
Un tambour d'or sous la terre ?
– Le safran.

Mo éna en ti bonom, zur fet zot tu abiy an ruz ?
– *Piman.*
Un petit bonhomme, quand c'est sa fête, est vêtu tout de rouge ?
– Le piment.

Bwadebenn dan dilo ?
– *Zangiy.*
Du bois d'ébène dans l'eau ?
– Une anguille.

Bayonet par derier ?
– *Mus zonn.*

Une baïonnette par-derrière ?
– La guêpe.

Mo lespri par derier ?
– *Bato, koz so guvernay.*
Mon esprit est par-derrière ?
– Le bateau, à cause du gouvernail.

Ti bonom, gran sapo ?
– *Sampion.*
Petit bonhomme, grand chapeau ?
– Le champignon.

Lakord marsé, bef durmi ?
– *Ziromon.*
La corde marche, le bœuf dort ?
– La courge.

Mo kas serkey, manz dimun mor ?
– *Pistas.*
Je casse le cercueil, je mange le mort ?
– La cacahuète.

Mo éna en lérwa, li port so kuto, so kuronn ?
– Anana.
J'ai un roi, il porte son épée et sa cou-
ronne ?
– L'ananas.

Kanif an pandan ?
– Tambarin.
Un canif qui pend ?
– Le tamarin.

Lapay tir pwal, pwal tir lagrin, lagrin tir tru ?
– May.
La paille tire le poil, le poil tire le grain, le
grain tire le trou ?
– Le maïs.

Bul disan anba later ?
– Betrav.
Une boule de sang sous la terre ?
– La betterave.

*Mo ruz dan mo boner, mo nwar dan mo
maler ?*

– *Lagrin kafé.*
Je suis rouge dans mon bonheur, noir dans mon malheur ?
– Le grain de café.

Mo nwar dan mo boner, mo ruz dan mo maler ?
– *Crevet.*
Je suis noire dans mon bonheur, rouge dans mon malheur ?
– La crevette.

Blan dan nwar ?
– *Duri dan marmit.*
Du blanc dans du noir ?
– Du riz dans la marmite.

Kan gran manman nwar santé, tu piti blan dansé ?
– *Marmit duri lao difé.*
Quand la grand-maman noire chante, tous les petits Blancs dansent ?
– La marmite de riz sur le feu.

Mo éna en zuli mamzel, tu dimun ki pasé ambras li ?
– *Robiné.*
J'ai une jolie fille, tous les gens qui passent l'embrassent ?
– La fontaine.

Mo zet li blan, li tomb zonn ?
– *Dizef.*
Je le jette blanc, il tombe jaune ?
– L'œuf.

Mo éna en barik, av dé kalité dilo ?
– *Dizef.*
J'ai une barrique avec deux sortes d'eau ?
– L'œuf.

Mo muswar dan dilo, napa muyé ?
– *Bred sonz.*
Mon mouchoir est dans l'eau, il ne se mouille pas ?
– Les brèdes songe.

Piti nwar bat gran nwar ?
— *Piman.*
Le petit Noir bat le grand Noir ?
— Le piment.

Trwa piti nwar get vent zot manman brulé ?
— *Lipye marmit.*
Trois petits Noirs regardent brûler le ventre de leur maman ?
— Les pieds de la marmite.

Tambur dansé dan lakur ?
— *Dind.*
Le tambour danse dans la cour ?
— Le dindon.

Mulin marsé kat fwa par zur ?
— *Labus.*
Le moulin marche quatre fois par jour ?
— La bouche.

Tambur divan, paviyon derier ?
— *Lisyin : so labus zapé, so laké dibut.*

Tambour par-devant, drapeau par-derrière ?

– Le chien : sa bouche aboie, sa queue se lève.

En vann dan kwin montagn ?
– Zorey.
Une vanne dans un coin de montagne ?
– L'oreille.

Mil tru dan gran tru ?
– Lédé.
Mille trous dans un grand trou ?
– Le dé à coudre.

Piti kuman mo piti, mo fer koné tu mo pwisans ?
– Piman.
Petit comme je suis, je fais connaître toute ma puissance ?
– Le piment.

Mo éna en zarb, kan li éna fey, li napa rasinn, kan li éna rasinn, li napa fey ?

– *Navir.*

J'ai un arbre, quand il a des feuilles, il n'a pas de racines, quand il a des racines, il n'a pas de feuilles ?

– Le navire.

Mo gran manman fer en pon, li tu sel capav pas lao ?

– *Zergné.*

Ma grand-maman fait un pont, elle seule peut passer dessus ?

– L'araignée.

Nabi napa kilot ?

– *Kankarla.*

Un habit, pas de culotte ?

– Le cafard.

Mo gagn en suval, mo frem li dan lékiri, so laké tuzur dior ?

– *Lafimé.*

J'ai un cheval, je l'enferme dans l'écurie, sa queue est toujours dehors ?

– La fumée.

Mo mars dan en piti simin, zamé mo pu posé, zamé mo pu turné ?

– *Larivier.*

Je marche sur un petit chemin, jamais je ne me reposerai, jamais je ne reviendrai en arrière ?

– La rivière.

Tuzur li manzé, zamé li avalé ?

– *Mulin kann.*

Il mange toujours, il n'avale jamais ?

– Le moulin à canne.

Kaspat dan létan ?

– *Gurnuy.*

Des boiteux dans un étang ?

– Les grenouilles.

Tambur larzan anba later ?

– *Zinzamb.*

Un tambour d'argent sous la terre ?

– Le gingembre.

*Mo éna en bann zanfan : soley levé zot kasé,
soley kusé zot surti ?*
– *Zétwal.*
J'ai une bande d'enfants, quand le soleil
sort ils se cachent, quand le soleil se cache ils
sortent ?
– Les étoiles.

Tapi mo gran papa plin pinez ?
– *Zétwal.*
Le tapis de mon grand-père est plein de
punaises ?
– Les étoiles.

*Mo anvoy let mo papa, kan li dékasté, mo
koné ?*
– *Lapes.*
J'envoie une lettre à mon père, quand il la
décachette, je le sais ?
– La pêche.

Simin marsé ?
– *Larivier.*
Le chemin qui marche ?

– La rivière.

Pul pon dan raket ?
– *Lalang.*
Une poule pond dans les raquettes ?
– La langue.

Mo éna dé zuli basin, saken éna en lilo dan milyé, lerb dan bor. Kan zot bordé, wu truv so dilo kulé sakenn so koté, me kanal ki donn sadilo, wu napa kapav truvé ?
– *Lizié.*
J'ai deux jolis bassins, chacun a un îlot au milieu, et de l'herbe au bord. Quand ils débordent, vous voyez couler l'eau de chaque côté, mais le canal qui donne cette eau, vous ne pouvez le voir ?
– Les yeux.

Mo éna en basin, tu zozo ki vinn bwar dadan noyé ?
– *Lalamp av papyon.*
J'ai un bassin, tous les oiseaux qui viennent y boire se noient ?

– La lampe et les papillons de nuit.

Mo lev so simiz, mo truv so sivé. Mo lev so sivé, mo tuv so lédan. Mé napa lédan ki pu manz mwa, mwa ki pu manz so lédan ?
– *Mayi.*
Je lève sa chemise, je vois ses cheveux. Je lève ses cheveux, je vois ses dents. Mais ce ne sont pas ses dents qui me mangeront, c'est moi qui mangerai ses dents ?
– Un épi de maïs.

Mo get li, li get mwa ?
– *Laglas.*
Je le regarde, il me regarde ?
– Le miroir.

Mo tuf li, li tuf mwa ?
– *Laduler.*
Je l'étouffe, elle m'étouffe ?
– La douleur.

Later blan, la grin nwar ?
– *Papye samb lékritir.*

La terre blanche, les graines noires ?
– Le papier avec l'écriture.

Lamin sémé, lizié rékolté ?
– Krir av lir.
La main sème, les yeux récoltent ?
– Écrire et lire.

Mo envoy en dimun labutik, li pas turné ?
– Kuderos.
J'envoie quelqu'un à la boutique, il ne revient pas ?
– Le caillou.

Mo muswar tombé, mo pa kapav ramasé ?
– Lakras.
Mon mouchoir tombe, je ne peux pas le ramasser ?
– Le crachat.

Kan mo gran manman dézbiyé, mo ploré ?
– Zonyon.
Quand ma grand-maman se déshabille, je pleure.

— L'oignon.

Mo alé ver ek nwar, kan mo turné, mo ruz ek nwar ?
— *Papay.*
Je pars en vert et noir, quand je reviens je suis en rouge et noir ?
— La papaye.

Ki manman gagn piti par lipyé ?
— *Lipyé banann.*
Quelle est la mère qui a son enfant par le pied ?
— Le bananier.

Ki ser mo papa, napa mo matant* ?
— *Disan.*
Qui est sœur de mon père, et n'est pas ma tante ?
— Le sang.

* Une variante contemporaine répond : *sintir*, ou *sang* (ceinture, ou sangle), exemple du double sens parfois perdu.

Gel dan gel, set pat, kat zorey ?
– Lisyin manz dan marmit.

Gueule dans gueule, sept pattes, quatre oreilles ?

– Le chien qui mange dans une marmite.

Kat pat mont lao kat pat. Kat pat alé, kat pat resté ?
– Lisyin lao sez.

Quatre pattes sur quatre pattes. Quatre pattes s'en vont, quatre pattes restent ?

– Un chien sur une chaise.

Bef kriyé dans milyé montagn ?
– So tusé en dimun gro lazu.

Un bœuf crie entre deux montagnes ?

– La toux de quelqu'un qui a de grosses joues*.

Mo éna sink piti bonom, dé bégné, trwa geté ?
– Mus néné av lédwa.

* Variante plus crue : le pet.

J'ai cinq petits bonshommes, deux se baignent, trois regardent ?

– Se moucher avec les doigts.

Ena en bann mamzel dan bor simin, zot tu latet anba ?

– *Lipyé banann.*

Il y a une bande de demoiselles au bord du chemin, elles ont toutes la tête en bas ?

– Les bananiers.

En bann mamzel dan zardin, tu zot nabi disiré ?

– *Lipyé banann, zot fey tuzur disiré.*

Une bande de demoiselles dans un jardin, tous leurs vêtements sont déchirés ?

– Des bananiers : leurs feuilles sont toujours déchirées.

Mo éna en piti nwar, kan napa met li so languti, li napa travayé ?

– *Guy bizin difil pu kud.*

J'ai un petit Noir, quand on ne lui met pas son langouti, il ne travaille pas ?

– L'aiguille a besoin du fil pour coudre.

Kat pat lao kat pat asper kat pat. Kat pat napa vini, kat pat alé, kat pat resté ?
– Sat lao sez asper léra. Léra napa vini, sat alé, sez resté.

Quatre pattes sur quatre pattes attendent quatre pattes. Quatre pattes ne viennent pas, quatre pattes s'en vont, quatre pattes restent ?

– Un chat sur une chaise attend une souris. La souris ne vient pas, le chat s'en va, la chaise reste.

Mo dibuté, li alonzé ; mo alonzé, li dibuté.
– Lipyé dumun.

Je suis debout, il est allongé ; je suis allongé, il est debout ?

– Le pied.

So lespri mo piti nwar dan so néné.
– Lisyin.

L'esprit de mon petit Noir est dans son nez ?

– Le chien.

Tru dan milyé laplen ?
– *Lombri.*
Un trou au milieu de la plaine ?
– Le nombril.

Ena en mamzel, li kot mwa partu, zamé mo capav ambras li ?
– *Mo lomb.*
Il y a une demoiselle qui me suit partout, jamais je ne peux l'embrasser ?
– Mon ombre.

Syel sans tas, mer san pwason ?
– *Koko.*
Un ciel sans tache, une mer sans poisson ?
– La noix de coco.

Mo éna dis piti bonom, tu zot latet blan ?
– *Zong.*
J'ai dix petits bonshommes, ils ont tous la tête blanche ?
– Les ongles.

Manz par vent, rand par lédo ?
– Rabo.
Il mange par le ventre, il rend par le dos ?
– Le rabot.

Manz nwar, rand ruz ?
– Fizi.
Il mange noir, il rend rouge ?
– Le fusil.

Mo basin li sek, met en lapay, libordé ?
– Lizié.
Mon bassin est sec, mettez-y une paille, il déborde ?
– Les yeux.

Menas dimum, napa kozé ?
– Lédwa.
Il menace, il ne parle pas ?
– Le doigt.

Mo éna en lakaz, aswar li vid, lazurné li plin ?
– Sulyé.

J'ai une maison, le soir elle est vide, le jour elle est pleine ?

– Les souliers.

Bwadeben lao rampar ?
– Mustas
Du bois d'ébène sur un rempart ?
– La moustache.

Mo alonz li, li alonz mwa ?
– Nat.
Je l'allonge, elle m'allonge ?
– La natte.

Trap sa, mo alé sasé lot ?
– Sa mem lamin dir av labus ler apre manzé.
Attrape ça, je vais chercher l'autre ?
– C'est ce que la main dit à la bouche quand on mange.

Ena en mamzel ki pé manz so trip, ki pé bwar so disan.
– Lalamp.

Il y a une demoiselle qui mange ses tripes et boit son sang ?

– La lampe à huile.

Mo lacaz pintir an zonn, andan mo éna en bann ti nwar ?

– *Papay mir.*

Ma case est peinte en jaune, à l'intérieur j'ai beaucoup de petits Noirs ?

– La papaye mûre.

Kat pilé, en vané ?

– *Suval sas mus : so lipyé pilé, so laké vané.*

Quatre pilent, une vanne ?

– Un cheval qui chasse les mouches : ses pieds pilent, sa queue vanne.

Kup mo vent pu gagn mo trézor ?

– *Grénad.*

Coupe mon ventre, pour trouver mon trésor ?

– Une grenade.

Sa banann la, mo pé manzé zamé mo capav
fini ?
— *Gran simin.*
Cette banane-là, j'ai beau la manger, je ne
peux la finir ?
— La grand-route.

Mo lacaz longlong, tu so lasamb ron ek par-
tazé an longer ?
— *Bambu.*
Ma maison est très longue, toutes ses
chambres sont rondes et distribuées dans la
longueur ?
— Le bambou.

Dan mo lacaze, éna tuzur mo bonfam dibut
dan kwin ?
— *Balyé.*
Dans ma maison, il y a toujours une bonne
femme debout dans un coin ?
— Le balai.

Pavé lao, pavé anba ?
— *Turti.*

Pavé en haut, pavé en bas ?
– La tortue.

En bann bef lao montagn, zot manz ros zot
kit lerb ?
– *Lipu.*
Une bande de bœufs sur la montagne, ils
mangent la roche et ils laissent l'herbe ?
– Les poux.

En bann sal, en bann prop ?
– *Later av lésyel.*
Une bande sale, une bande propre ?
– La terre avec le ciel.

Mo zozo éna nek en lizié, so lizié dan so
laké ?
– *Pwalon.*
Mon oiseau n'a qu'un œil, et son œil est
dans sa queue ?
– Un poêlon.

Mor port vivan ?
– *Pirog.*

Le mort porte le vivant ?
– Une pirogue.

Lapo mor kondir vivan ?
– Soulyé.
La peau du mort conduit le vivant ?
– Les souliers.

Mo zwind en bann dimun, kan mo lwin zot
dir mwa bonzur, kan mo pros, zot napa dir
naryin ?
– Gurnuy dan bor dilo.
Je rencontre une bande de gens. Quand
je suis loin, ils me disent bonjour, quand je
m'approche, ils ne disent rien ?
– Les grenouilles au bord de l'eau.

Mo marsé, li marsé. Mo arété, li arété ?
– Mo lombraz.
Je marche, elle marche. Je m'arrête, elle
s'arrête ?
– Mon ombre.

Mo marsé, li marsé. Mo arété, li marsé mem ?

– *Mo mont.*

Je marche, elle marche. Je m'arrête, elle marche encore ?

– Ma montre.

Aswar, mo truv en bann lagrin dan mo laplen. Ler mo lévé mo napli truv zot ?

– *Zétwal.*

Le soir, je vois beaucoup de graines dans ma plaine. Quand je me réveille, je ne les vois plus ?

– Les étoiles.

Figir en zanfan kasiet anba labarb en bonom ?

– *Koko.*

Un visage d'enfant caché sous la barbe d'un bonhomme ?

– La noix de coco.

Mo dé piti bonom mars ansamb, sakenn so tur divan ?

– *Mo lipyé.*

Mes deux petits bonshommes marchent ensemble, chacun son tour est devant ?

– Mes pieds.

Mo bonnfam akot li pasé les so lakras ?

– *Kurupa.*

Ma bonne femme, partout où elle passe, laisse sa salive ?

– L'escargot.

Blan napa capav travay san nwar ?

– *Plim bizwin lank.*

Le Blanc ne peut pas travailler sans le Noir ?

– La plume a besoin de l'encre.

Madam langlé anba later ?

– *Karot.*

Une Anglaise sous la terre ?

– La carotte.

Long labarb, kurt laké ?

– *Sevret.*

Longue barbe, courte queue ?
– La chevrette.

Mo gran manman li bo fer nat, tu so piti durmi parter.
– *Ziromon.*
Ma grand-maman a beau préparer des nattes, tous ses enfants dorment par terre ?
– La courge.

Gran zorey, ti lizié, lapo verni ?
– *Sursuri.*
De grandes oreilles, de petits yeux, la peau vernie ?
– La chauve-souris.

Sa ki ti getli, napa ki ti pranli, sa ki ti pranli napa ki ti manz li, sa ki ti manz li napa li ki ti gagn baté, sa ki ti gagn baté napa ki ti kriyé, sa ki ti kriyé napa li ki ti ploré ?
– *Ti nwar fek kokin mang : so lizié ki ti geté napa so lizié ki ti pran, so lamin ki ti pran napa so lamin ki ti manzé, so labus ki ti manzé napa so labus ki ti gagn baté, so lérin ki ti ki ti gagn*

baté napa so labus ki ti kriyé, so labus ki ti kriyé napa so labus ki ti ploré.

Celui qui l'a vu n'est pas celui qui l'a pris ; celui qui l'a pris n'est pas celui qui l'a mangé ; celui qui l'a mangé n'est pas celui qui a été battu ; celui qui a été battu n'est pas celui qui a crié ; celui qui a crié n'est pas celui qui a pleuré ?

– Un petit Noir vient de voler une mangue : ses yeux ont vu, mais ses yeux n'ont pas pris ; sa main a pris, mais sa main n'a pas mangé ; sa bouche a mangé, mais sa bouche n'a pas été battue ; ses reins ont été battus, mais ses reins n'ont pas crié ; sa bouche a crié, mais sa bouche n'a pas pleuré.

Tuzur li mars latet anba ?
– *Kulu sulyé.*
Il marche toujours la tête en bas ?
– Un clou de soulier.

Ki lalang ki zamé ti manti ?
– *Lalang zanimo.*
Quelle est la langue qui n'a jamais menti ?
– La langue des animaux.

Petit lexique de la langue créole
et des oiseaux

Langage, quel langage ? Impossible pour moi de considérer le langage humain comme un bien acquis, comme une forme définitive. La langue que je parle, que j'écris, je la sens plutôt comme un être vivant qui bouge, qui change, qui s'enfuit. Un flux et un reflux de paroles.

Aucune langue n'est pure, à moins d'être morte, et qu'on ait cessé de l'écrire. Le français, l'anglais, l'espagnol, langues métissées, nées de l'union d'autres langues, inventées par des hommes dont le souci n'était pas la perfection, mais cette beauté de l'usage. J'ai toujours été choqué et ennuyé par la dérision des jugements sur les langues, qui vaut celle des jugements sur les hommes. Alors le français serait la langue de la clarté – s'opposant à quels langages obscurs ? Ou ce mépris péremptoire des langues indigènes : langues amérindiennes (nahuatl, tarasque, quechua qui, paraît-il, manqueraient de termes abstraits ! le hopi où la notion de temps ferait défaut ! le breton, incapable d'une littérature ! etc.). Toujours les mêmes guerres contre les barbares.

D'autre part, il m'est impossible de concevoir une langue limitée à l'usage commun. Une langue qui ne me soit pas propre. Chacun de nous doit parler en sa langue, une langue qui le rapproche et parfois l'éloigne du voisin, une langue où les mots n'ont pas forcément le même sens. « Il s'agit de s'entendre sur les mots », dit-on couramment. Eh bien non, il faudrait plutôt entendre tout ce qu'il y a dans les mots. L'écrivain, le conteur sont peut-être ceux qui parlent le mieux leur propre langue.

Ce qui me frappe, dans ce concert sur le langage (la naissance de cette clameur vertigineuse, où l'on perçoit horreur et orgueil, la malédiction de Dieu sur Babel), c'est la grande pauvreté des formes modernes. Comme si, en accordant aux seuls écrivains un pouvoir sur leur langue (parfois jusqu'à l'hermétisme), la société contemporaine, la plus conformiste que l'homme ait jamais connue, avait délibérément limité le pouvoir de l'imagination. Je pense à la richesse des langages sans écriture, langues amérindiennes ou africaines, avec leurs infinies variations des modes et des adresses, leurs parlers rituels, solennels, leurs classifications des formes et des usages.

Ce qui me frappe encore davantage, c'est l'intolérance des langues écrites. Intolérance de ceux qui ont voulu ce droit absolu de la chose écrite sur la chose parlée. C'est peut-être parce qu'ils sont récents (français, anglais, espagnol, italien, allemand, polonais n'ont même pas un millénaire, ce qui, en comparaison de la plupart des langues amérindiennes, africaines, océaniennes ou celtiques, est tout bonnement ridicule) que ces langages sont aussi intolérants, leur culture si pesante, si obligatoire. « Peuple sans culture », entend-on dire encore aujourd'hui des Canaques, des aborigènes australiens, des créoles antillais ou mauriciens, comme si cette supposée absence de culture justifiait mieux leur réduction. La même cuistrerie inspirait le mépris des Grecs pour l'étranger, puis la haine des Romains pour les Carthaginois. Le même vice de l'esprit hérité des dominations antiques instituait le mépris des nations indiennes par les conquérants espagnols ou portugais, des peuples africains par les Français, les Anglais et les Allemands, ou des tribus nomades de la frontière américano-mexicaine, Apaches, Comanches, par les sédentaires qui venaient d'oublier qu'ils avaient été eux-mêmes les parias du Nouveau Monde.

Les Nahuatl ne se désignaient-ils pas comme les hommes libres, opposés aux obtus Otomis, ou à ceux de la lignée des chiens, les Chichimèques ? Et les Imazighen du désert saharien ne se croyaient-ils pas, de toute éternité, les seuls hommes libres ? Que sont-ils devenus aujourd'hui ? Eux que le pouvoir des langues dominantes a rejetés dans la famine et dans les réserves, vengeance exterminatrice des langages sans tolérance sur les mots sans frontières.

Ma langue, mon langage. Il m'est possible d'en parler comme d'un bien propre. Je puis croire au langage d'une tribu, d'une famille, d'un quartier. Comment croire au langage de millions d'hommes ? Mon langage, c'est celui que j'ai reçu dans mon enfance, que j'ai construit en écoutant, en lisant, et qui s'est trouvé parfois en contradiction avec le langage des maîtres. Mon langage, comme une ruse, un déguisement, parfois comme un drôle de signal de reconnaissance, dont je perçois les échos de loin en loin.

Si la langue créole (que je n'ai pas parlée vraiment, mais qui n'a cessé d'être là depuis ma naissance, autour de moi) m'importe plus qu'aucune autre, c'est parce qu'elle a joué ce double jeu : protection, liberté.

Aujourd'hui j'ai du mal à imaginer ce qu'elle peut sembler aux autres (aux Français surtout) : un parler exotique, du folklore, de la poudre aux yeux, de la pacotille ? Quand j'en parle avec ma mère, elle me dit cela justement, combien pour elle étaient importants tous ces mots, ces *varangue*, *massala*, *dobi*, *dal*, *hourite*, *filào*, *caria*, *vacoa*, *malang*. Tous ces mots qui pour elle n'étaient pas des mots curieux, n'étaient pas des mots exotiques, mais des mots de tous les jours, parce qu'elle avait entendu son père les dire, avec son accent créole qui ne l'avait jamais quitté, à chaque instant, parce qu'ils désignaient des choses qui existaient, non pas des images mais vraiment des choses, fortes, réelles, tenaces, invincibles malgré le gris de l'hiver parisien, malgré l'exil, malgré la guerre. C'est cela, un langage.

Aigle pêcheur (orfraie) : Ce rapace magnifique, familier des rivages de la mer et des rivières, se nourrit seulement de poissons, ce qui cause sa disparition : empoisonnement des eaux par les déchets industriels. Son cri (le célèbre cri d'orfraie) est un peu décevant pour un oiseau de cette envergure. Un sifflement aigu, un *k-yewk, k-yewk, k-yewk*.

Aigrette : L'aigrette blanche, appelée aussi pique-bœuf, est l'un des exemples de l'entente des espèces. Dans les régions tropicales, elle partage la vie des ruminants et des éléphants. Croassement semblable à celui des corbeaux.

Alouette : Son chant d'appel dans les blés, dans les fourrés, si léger, deux notes inquiètes, précises *(tsin-tsin)*, devait faire rêver les soldats de la Grande Guerre, tapis dans leurs trous de la Marne, de la Somme.

Bagasse : La fabrication du sucre passa de l'ère artisanale à l'ère industrielle quand, à la

fin du XVIIᵉ siècle, on remplaça le moulin tradi-
tionnel, actionné par des hommes ou des
bêtes de somme, par la machine à vapeur.
La bagasse, ce résidu de la canne après le
troisième broyage, devint alors le meilleur
combustible pour les chaudières. Exemple
assez rare d'un matériau fournissant l'énergie
qui le consume – si l'on excepte l'homme,
que les esclaves révoltés jetaient parfois dans
la même fournaise.

Bec-en-ciseaux (en anglais, *shearwater*) :
C'est son vol au ras de l'eau qui lui a valu
son nom anglais. Le bec-en-ciseaux est bien
connu des marins des mers du Sud pour ses
cris gémissants au crépuscule, quand l'ombre
envahit les refuges des atolls, et qu'ils s'éveil-
lent pour la chasse nocturne. On les appelait
aussi *moaning birds*, les oiseaux qui pleurent.

Bête : Dans tous les récits fabuleux, la
bête est l'ennemi. À Maurice, où il n'y a ni
tigres, ni loups, ni serpents, *bébête* est le
requin. Un pêcheur noir avait emmené sur

sa pirogue son fils et un jeune Blanc, fils de son maître. Une lame de fond renverse la pirogue. Le pêcheur noir aide le jeune Blanc à se sauver, quand il entend son fils crier : « Aïe ! Bébête manze moi ! » C'est un requin qui a mordu son fils et l'entraîne au fond de l'eau, mais le pêcheur n'ose pas abandonner le fils de son maître, il le sauve tandis que le requin dévore son fils.

Brèdes : Depuis que je suis sevré, je mange des brèdes sans m'en étonner : feuilles bouillies, écumantes, qui macèrent ensuite dans leur jus sombre, brouet de sorcières. Goût âcre, un peu amer, des feuilles de salade bouillie. Goût net et astringent des blettes, ces belles feuilles vert sombre qu'on trouve sur les marchés du Midi, goût fin des feuilles de la courge (le *ziromon*). Est-on différent quand on a mangé cela chaque jour depuis l'enfance ? Les peuples mangeurs d'herbe (les Africains, les Indiens du Mexique, les Indiens de l'Inde) sont-ils les mêmes que les peuples mangeurs de chair ? Brèdes *songe* (de l'hindi *sondja*) si belles par leur couleur de velours où s'accrochent les perles d'eau.

Canne : *Dilo dibut ? – Kann*. Il faut prononcer le *a* nasal, mêlé à la consonne finale. Cette eau qui tient debout est celle qui brûle Maurice. Certains disent que la canne à sucre est venue de l'Inde, mais elle est connue partout en Amérique centrale (en langue caribe, *chanso*). Avec le coton, et le sisal qui servait naguère à la fabrication des cordages des navires, la canne est le symbole de l'esclavage, de l'exploitation la plus cruelle de l'homme et de l'enrichissement scandaleux d'une minorité d'oppresseurs. Qui se souvient aujourd'hui des bateaux de l'India Steamship Company amenant chaque mois leur cargaison de travailleurs indiens, venant de Calcutta, de Bombay, jusqu'à la Réunion et Maurice ? Autour de 1860, soixante-dix mille Indiens débarquent chaque année à Maurice. Pourtant, la population globale de l'île n'augmente guère. Combien de ces parias sont morts dans les plantations, de famine, de maladies, de misère ?

Cardinal : Seul le mâle porte l'habit. La femelle est verte, avec une mèche rouge. Le cardinal est un familier de l'homme, il mange dans sa main. Il dit : *chir, chir, wouit, wouit.*

Chevalier (en anglais, *sandpiper*) : Sur les grandes plages de Californie, à l'aube, ils s'envolent devant vous en arc de cercle, avec leurs ailes qui font un tremblement argenté de feuilles. Voix toujours inquiètes, fugitives : *pit-pit, wit.*

Chouette : En latin, *strix*. Son énorme face pâle en forme de lune en fait l'oiseau de la nuit, l'émissaire de l'au-delà, la stryge. Mais c'est aussi le plus joli, le plus doux des oiseaux, avec ce quelque chose de pathétique et de tendu dans son regard fixe, dans son cri qui grelotte.

Colombe : Dans le mythe amérindien du déluge, c'est le corbeau, et non la colombe, qui signale à l'homme la fin du désastre. L'idée la plus haute de la civilisation, elle est dans ces colombiers de Toscane, ou de la région lyonnaise, dans leur roulement bruissant dans l'air du soir.

Colophane : *Qui di bois ? – Bois colophane. Qui gagné ? – Cent coups d'bâton.* Le bois colophane, dont on extrayait la précieuse essence de térébenthine. Le dicton connu à Maurice fait allusion au châtiment qui attendait le Noir qui avait coupé un de ces arbres. Aujourd'hui, dans la forêt de Machabé, près de Chamarel, le bois colophane pousse librement, et son mince tronc noir n'attire plus la vengeance des esclaves.

Corbeau : En Amérique indienne, il est un dieu, ou un messager des dieux. En Europe, l'Europe des gibets et des charniers, il est devenu l'oiseau de mauvais augure. Il est pourtant capable d'intelligence et d'affection autant que n'importe quel homme. C'est sa voix, peut-être, qui a déplu ?

Cotiram coti : *Coti* : pourri (voir *maf*). Coq Édouard, le cuisinier légendaire de ma famille (arrivé d'Afrique au temps de la traite et, devenu libre, resté auprès de ses maîtres), racontait à mon grand-père une histoire à dormir debout qui se passait dans la forêt africaine, et dans laquelle un démon prononçait cette formule qui faisait frissonner tout l'auditoire : *Cotiram coti !*

Couroupa : L'escargot de terre géant qui, apporté de Maurice dans les États du sud des États-Unis par quelque voyageur imprudent, manqua conquérir en quelques semaines toutes les terres du Nouveau Monde.

Dal, dol : Les lentilles (hindi : *dholl*). Le *dalpuri* est un gâteau en purée de lentilles.

Douk : Malheur (hindi : *dukh*, souffrance).

Eau : Il y a des mots qui résonnent comme ils sont. Voici l'un des plus jolis, si court à dire, si long à écrire. Si jolis aussi les noms de

Maurice qui le contiennent : Belle eau, Eau claire, Eau bleue. Trou d'eau douce.

Eider : Ce canard de mer au plumage magnifiquement gravé de blanc et de noir comme un dessin sur une poterie de Mimbres a le triste privilège d'avoir fourni le duvet pour les lits des gens d'Europe : c'est *l'eider-down*, l'édredon. Est-ce pour cela le gémissement qui lui sert d'appel ?

Émouchet : Appelé aussi crécerelle, c'est le plus petit des rapaces (on dit encore faucon-moineau), rapide, vorace, et son cri aigu est terrifiant : *kill-kill-kill*.

Engoulevent : Avec son nom mystérieux, oiseau de nuit, oiseau de vent, guetteur des herbes, avec ses moustaches, son collier de plumes, son regard extasié. Sa drôle de voix nasillarde, qui semble venir de tous les côtés à la fois : *spiink*.

Épervier : L'épervier noir, avec ses deux bandes blanches sur sa queue en éventail, le modèle des cerfs-volants. Le genre buteo, par une sorte de science infuse qui dépasse tout ce que l'homme pourra jamais imaginer, a imité le vol du vautour, mangeur de chair morte, pour que ses proies se laissent approcher sans crainte. Seul son cri le trahit : le *kek-kek-kek-kek* des rapaces.

Farata : Crêpe de farine, la *tortilla* mauricienne, la galette des civilisations les plus anciennes.

Faucon : Sans doute le plus beau des rapaces. Le pèlerin est le plus beau des faucons, par son vol, par la brusquerie terrible de ses plongeons vers la terre, par sa façon de diriger son ombre sur le sol, par la précision de son regard, par son masque noir. Longtemps l'oiseau de prédilection des fauconniers, il est en train de s'éteindre aujourd'hui par la faute des insecticides et de la mort-aux-rats.

Fou : *Sula sula*, ce grand voilier blanc ou brun, toujours silencieux quand il vole au-dessus de la mer, au ras des vagues, puis il s'élève, plane, et tombe comme une pierre droit dans la mer, ses ailes repliées, pour une pêche qui ressemble à un suicide.

Frégate : *Magnificens*, il l'est, cet oiseau de mer, avec ses deux mètres d'envergure, son plumage noir et, chez les mâles, ce goître rouge qui résonne. Sur toutes les mers, du Sud à l'Arctique, il règne en tyran, forçant les mouettes à dégorger leurs proies, noir pillard, pirate aux ailes en lame de yatagan, l'image même de la beauté et de la cruauté qui vole (voler a bien deux sens.) Est-ce un hasard ? La légende dit que c'est dans l'île Frégate, aux Seychelles, que le pirate La Buse aurait caché son fabuleux trésor.

Gasse : Plus encore que le défunt dodo, ce héron vert sombre symbolise Maurice, quand il vole au ras du lagon au crépuscule, en jetant parfois son cri perçant, lugubre, *kiôôô !*

Geai (en anglais *bluebird*) : l'oiseau satin des forêts des montagnes Rocheuses, un éclair électrique, irréel, sous le couvert des grands arbres silencieux, où sa voix douce, murmurante, *trrr, trrr, iooo*, ne paraît pas lui appartenir.

Godyak : Amuse-gueule : un rien.

Grive : Dans le nord du Mexique, à Casas Grandes, les *tordos*, obscurcissant le ciel avant même qu'ait commencé le crépuscule, puis choisissant un grand arbre, au centre d'un village, et s'abattant sur lui pour dormir, jusqu'à le faire ployer comme un tourbillon de vent.

Grue : Qui n'a vu, dans le ciel clair de l'au-tomne, au sud des États-Unis, les escadrilles de grues tournoyer avant de partir pour l'autre bout de la terre ne peut avoir qu'une faible idée du bonheur, de l'exultation de la vie, avec ces *houp ! houp !* qui résonnent comme des youyous au-dessus de la vallée.

Guillemot : Le pigeon des mers, à l'œil plus vif, au corps plus élancé que son lointain cousin abâtardi des villes humaines.

Gunny : Peut-être *goni*. Du français *guenille* ? Ou bien du nom de cette toile à sac qui contenait la poudre du thé venant des Indes avec la main-d'œuvre, ce *gun-powder* qui est encore la boisson préférée des gens de Maurice. Les femmes vêtues de leur *gunny*, sur la route de Quinze Cantons, revenant des champs avec leur houe en équilibre sur la tête, comme une image de l'éternelle contingence de vivre.

Hibou : Latin *bubo*, de son cri *bou !* Le hibou à oreilles, qui crie trois fois son nom, *bou ! bou ! bou !*, ébloui au grand soleil, a cet air stupide qui lui a valu le surnom en espagnol : *bobo*, idiot. Au contraire, dans les contrées septentrionales, il a une réputation de sagesse, car il porte la magie de la nuit.

Hirondelle : Ces signes noirs dans le ciel du printemps. On imagine que ce sont elles qui ont inventé l'idée du baroque, ces *pennuti pesci dell' aero mare*. L'idée du vol, réduit à une aile, cette frénésie, cette ivresse presque cruelle.

Kittiwake : Ce beau nom, bien préférable au français *monette*, est le cri guttural de la mouette farouche des régions boréales. Cet oiseau a ceci de commun avec l'homme et la chauve-souris de vivre en très grand nombre dans des habitats verticaux. Sur une seule île de l'archipel de Pribilof, au large des côtes de l'Alaska, on raconte que les falaises hautes de quatre cents mètres sont littéralement truffées de nids sur une longueur de cinq milles, constituant ainsi une colonie de plusieurs millions d'oiseaux.

Maf : Une poire *maf* : un fruit blet.

Malang : L'eau *malang*, une eau corrompue, malsaine, empoisonnée.

Marron : Les Espagnols disent *cimarrón*, en parlant des Noirs (ou des Indiens) esclaves échappés des plantations et retournés à la vie sauvage dans les forêts ou les montagnes. L'origine de ce mot est peut-être l'hébreu *marran*, porc sauvage. Les sociétés de marrons sont passionnantes. À Maurice, dès le début des grandes plantations de canne, les Noirs prennent le large pour fuir les mauvais traitements. Ils trouvent refuge dans les montagnes au centre de l'île, au Pouce, et aussi dans le sud-ouest, dans la forêt de Machabé, et sur le rocher du Morne. Comme aux Antilles, comme à Porto Rico, comme au Brésil, ces Noirs désespérés, aguerris, forment une armée redoutable et cherchent à assouvir leur vengeance sur l'oppresseur blanc. Deux chefs rebelles ont laissé leur marque dans cette histoire, Saclavou, le Sakhalave, et Sangor, l'Africain, devenus personnages de légende, immortels. Traquée, affamée, rêvant peut-être de conquérir l'île, l'armée des parias brûle les domaines, razzie les villages, tue les Blancs et leurs serviteurs. Enfin les planteurs organisent des expéditions. Mieux armés, maîtres des points d'eau, les Blancs acculent les révoltés dans leurs rochers. Saclavou, pour ne pas avoir à se rendre, se jette du haut d'une falaise, dans la montagne du Pouce. Quand le vent souffle dans les vallées, c'est son gémissement qu'on entend encore. La révolte des marrons a sans doute pour cause le code terrible et honteux qu'on appelle au XVIIIᵉ siècle le Code noir, prévoyant les châtiments pour les esclaves révoltés : bastonnades, mains coupées, jarrets tranchés. À la fin du XIXᵉ siècle, la légende des Noirs marrons existait encore. Enfant, ma tante Camille était allée se baigner dans la rivière Ory, près de la maison familiale. Tout à coup un géant noir sort de la forêt, son regard est sauvage. La nourrice empoigne ma tante, l'entraîne en courant, en lui disant : « Surtout, ne te retourne pas, c'est Sangor qui est revenu ! »

Martin : Le merle des tropiques, au vol lourd, à la démarche sautillante, a peut-être le cri le plus insolent, le plus vulgaire, du règne des oiseaux.

Milan : Le milan à queue blanche, qui plane au-dessus des forêts tropicales. Les Indiens du Choco colombien broient ses os pour faire des philtres, et attribuent des vertus aphrodisiaques aux plumes de sa tête.

Mouette : Les mouettes, les plus nombreux, les plus variés des oiseaux de mer : mouette à tête noire, à queue noire, mouette de Bonaparte, de Californie, de Franklin, mouette glauque, à ailes blanches, mouette d'Heerman, mouette argentée, mouette rieuse, mouette de Sabine, de Ross, de Thayer, etc. La famille *larus*, partout présente, oiseau pillard, charognard, au cri bruyant et aigre, somme toute aussi complémentaire de l'homme et guère plus sympathique que les rats.

Narval : L'animal le plus fabuleux de la création, je crois, avec son corps en torpille, terminé par cet éperon torsadé qui évoque la licorne. Dans les récits d'aventures du XIXe siècle, cet éperon inoffensif (qui lui sert à remuer la vase) clouait les navires dans un suicide vengeur.

Natte : Le *bois de natte*, bois de fer, tant d'objets, de pointes de lance, de pilons, de statues rituelles qui ont disparu sans laisser de traces. Les civilisations du bois de natte seraient-elles moins respectables que celles de la pierre, de la brique et du bronze ?

Oiseau : Le joli mot tout en voyelles ! Les navires avec leurs voiles éployées avaient des noms d'oiseaux, frégates, goélettes. Ils s'appelaient l'*Hirondelle*, l'*Albatros*, le *Cygne*, ou même le *Dragon volant*, comme celui du pirate Coydon. Le seul métier que j'aurais vraiment aimé, observateur d'oiseaux.

Oiseau moqueur : *Mimus polyglottos*, le seul vrai polyglotte du règne des oiseaux, le perroquet n'étant capable que de caricaturer l'homme. Il sait tout imiter, du gazouillis au murmure, de l'appel inquiet au cri éclatant.

Ombre : Quel beau nom encore, sombre et sonore, pour ce double naturel, qui donne sa vérité et sa force à tout ce qui existe ! Les Indiens caribes utilisent le même mot pour l'ombre et pour l'âme, *hawuré*. Et comme ils sont beaux, les noms de lieux qui le contiennent, à Maurice : Bel Ombre ; à Nice : Valombrose !

Paille-en-queue : C'est le *phaeton aethereus*, l'oiseau mythique, presque magique par sa beauté, volant au-dessus des falaises sombres de la rivière Noire, avec derrière lui sa longue queue de lumière, comète qui traverse l'immensité de l'horizon de la mer. On dit que dans certaines sociétés secrètes de l'Ouest africain il est le messager des dieux, l'envoyé du soleil. Son cri de crécelle ne parvient pas à l'enlaidir.

Pétrel : Son nom anglais est beau : *fulmar*. Et c'est vrai qu'il est bien l'oiseau de la pleine mer (*full mar* ?) avec son vol fait pour traverser les mers : trois ou quatre coups d'aile, puis une glissade. Ce sont eux qui accompagnaient jadis les baleiniers dans leur sinistre besogne.

Pivert : Le pivert à poitrine rouge est le héros d'un conte caribe, dans lequel il vole le feu au caïman pour le donner à l'homme. Pour cela, les Indiens le protègent et le traitent en ami. Pour les Mayas, le même pivert brisa jadis un rocher sous lequel était cachée la pierre précieuse, le premier grain de maïs. Le pivert mangeur de glands a un cri caractéristique : *Jacob, Jacob !* et : *wake-up ! wake-up !*

Ravinal : Du malany *ravinala*, l'arbre du voyageur, bizarre avec son air de faux bouquet. La méthode pour recueillir l'eau qu'il contient est la suivante : introduire la pointe d'un couteau à l'endroit où les feuilles sont rattachées à la base, et forer un trou. On peut recueillir jusqu'à un litre d'une eau très pure.

Sirdar : Dans les plantations, le *sirdar* tenait le rôle du garde-chiourme, du surveillant, du contremaître. L'anglais a un mot semblable, que j'aime : *seer*, voyant. Mais quelle vision de misère que celle du *sirdar* en haillons, paria commandant à son armée de parias dans les champs de canne !

Skua : Ce mot barbare convient mieux que le français *(lappe)* à cet oiseau des banquises polaires, rapide, agressif, qui force les autres à dégorger leur nourriture pour s'en emparer.

Sterne : La sterne royale, coiffée de son capuchon noir d'où jaillit le bec féroce, couleur de sang. La sterne est l'un des rares oiseaux qui ne craignent pas l'homme et osent l'attaquer pour défendre leur nid. Son cri est le *kiâââr* grave des oiseaux de mer.

Tazar : Un petit nom doux pour le barra-cuda, tueur des mers.

Tek tek : *Nager comme tek tek*. En réalité, ce crustacé a besoin d'air, et ne peut survivre hors du sable où bat la mer.

Varangue : La véranda des demeures coloniales mauriciennes, où l'on se tient l'après-midi et le soir pour se rafraîchir, pour écouter la pluie et le ballet des moustiques. Le mot existait jadis dans le vocabulaire de la marine.

Vautour : Le plus extraordinaire planeur, et le plus silencieux : à peine un léger siffle-ment quand il est en colère.

Verti : Chez les créoles mauriciens, mani-festation d'un esprit infernal. Le *vertige* des rites dionysiaques.

Vesou : Il me semble que ce mot dit bien l'épais sirop de canne, sombre, visqueux, à l'odeur musquée, couleur d'ambre brûlé, qui sort après la première cuisson. Il a encore quelque chose de la terre qui a nourri les cannes, quelque chose de la sève.

Zozo mayoc : L'oiseau manioc, fébrile, maladroit, bavard. C'est l'idiot du règne des oiseaux, et faut-il s'étonner que l'homme ait parfois trouvé en lui une ressemblance ?

Postface

de Danièle Henky

Des devinettes pour apprivoiser le monde

Pour tout dire, c'est ça la poésie,
d'abord et surtout une questionneuse
enragée.
Jean-Pierre Siméon

Et si un beau jour, à votre réveil, vous ne reconnaissiez plus votre décor familier ! Seul dans votre lit, vous voilà dans une chambre vide aux murs gris, à la porte close. Votre chat, votre chien, votre poisson rouge et même votre ours Martin vous ont abandonné. Vous regardez affolé par la fenêtre : plus de gens dans les rues, plus de maisons, plus d'herbe, ni d'arbres sur la terre. Et d'ailleurs, même plus de terre. Vous levez la tête : plus d'oiseaux dans le ciel, ni de nuages au-dessus de vous. Vous n'êtes pourtant pas suspendu dans le vide, il y a des choses autour de vous, mais vous n'en connaissez aucune. Vous ne pouvez appeler aucune d'entre elles par son nom.

Emporté dans un autre monde par de malicieux lutins, vous êtes *dé-paysé* !

N'auriez-vous pas peur, ainsi égaré comme le petit Poucet et ses frères dans un espace forcément hostile parce qu'inconnu ? N'auriez-vous pas envie de vous précipiter sur la porte de votre chambre pour l'ouvrir ? Et si la porte résistait, ne souhaiteriez-vous pas en trouver la clé pour déverrouiller la première serrure de ce nouvel univers ?

Souvenez-vous d'Alice, la jeune héroïne de Lewis Carroll, tombée tout au fond d'un puits parce que sa curiosité l'a entraînée derrière ce lapin blanc aux yeux roses qui courait vers son terrier en consultant sa montre.

Rien dans le pays des merveilles ne correspond à ce qu'elle connaît. Les animaux disent des vers, dansent le quadrille ou prennent le thé. Ils portent d'étranges costumes et parfois fument le narghilé. Les cartes à jouer sont des jardiniers, les chats des poteaux indicateurs qui... sourient, et les sentiers disparaissent sous les pas.

Alice est perdue. Elle ne comprend plus rien à rien et se met à pleurer. Puis, courageusement, elle se reprend. Si seulement elle parvenait à trouver un guide pour lui montrer le chemin. Si seulement elle possédait une clé pour entrer dans le joli petit jardin qu'elle a découvert en regardant par un trou de serrure. Soudain, au carrefour de deux routes, un étrange chat apparaît derrière son sourire, dans un arbre. Il lui indique sa route, d'une patte nonchalante. Un peu rassurée, Alice marche à présent droit devant elle, posant des questions à tous ceux qu'elle rencontre : loir, chapelier fou, reine, valets... Elle interroge sans se lasser, sans hésiter et, parfois, poursuit sa quête sans attendre de réponse. Cela est fort bien, me direz-vous, mais cela ne donne pas à Alice la clé qu'elle cherchait pour ouvrir une porte de ce monde inconnu.

Avez-vous remarqué combien le point d'inter-rogation ressemble à une clé ? Et particulière-ment à ce modeste morceau de ferraille tordu appelé « passe-partout » auquel peu de serrures résistent. Alice aurait-elle compris que le monde qui nous entoure, si étrange soit-il, se déver-rouille, pourvu qu'on le questionne assez longtemps, avec obstination ? Il suffit d'essayer sur les portes tous ses points d'interrogation.

C'est peut-être ainsi que sont nées les devinettes dans tous les coins de la planète ! On les a inventées pour interroger le monde. Elles nous aident à défricher les terres, à les rendre familières.

*

Jémia et J.-M.G. Le Clézio vous proposent, avec *Sirandanes*, une expérience toute semblable à celle d'Alice ouvrant les yeux sur un espace à questionner. Comme le chat d'Alice, ils seront vos guides sur la terre des ancêtres de J.-M.G. Le Clézio : l'île Maurice. Et les sirandanes seront les clés de ce pays étranger.

« Qu'est-ce que les sirandanes ? demande J.-M.G. Le Clézio [...] Sont-elles vraiment des devinettes ? Elles sont plutôt des mots-clés qui permettent à la mémoire de s'ouvrir, et de révéler le trésor caché. »

Grâce à elles, chacun de vous pourra découvrir l'île Maurice. À condition de respecter tous les rituels d'entrée.

Pour « passer » la première porte, il faut prononcer une parole magique. C'est bien à cela que servent les mots de « passe », non ?

Tous les pays ont leur mot de passe qui permet de pénétrer dans leur univers caché comme Ali Baba dans la caverne aux trésors.

Saakwé, saakwé.
Soma.
est le « sésame » des Rwandais.

Devine, devinaille
Qui pond sur la paille ?
est la formule consacrée par laquelle le conteur commence le jeu des devinettes en Anjou.

Sirandane ?
Sampek !
disent les Mauriciens avant de jouer. Ils ont coutume ensuite de poser quelques questions faciles dont tout le monde connaît la réponse.

Chaque fois que l'on parvient ensuite à répondre à une devinette plus difficile, on avance d'un pas dans le pays inconnu et, peu à peu, il perd de son étrangeté. Une clé se tourne après l'autre, une porte se déverrouille après l'autre et l'on voyage de plus en plus à l'aise au milieu de la faune, de la flore, des us et coutumes de ce territoire qui s'ouvre comme un grand livre d'images plein de couleurs, de formes, de sensations et d'histoires qui n'appartiennent qu'à lui.

*

Dans le cœur vivant et tout palpitant de ce nouvel univers qui se donne, vous n'avez plus peur. Vous avez aussi appris que les questions peuvent tourner comme des clés dans toutes sortes de serrures : il suffit de les essayer pour s'introduire dans les mondes les plus secrets. Chaque devinette, chaque clé est une invitation au voyage.

À votre tour, vous pouvez inventer des devinettes, forger des clés ; autrement dit, afin d'aider les autres, ceux qui vous sont étrangers, ceux pour qui vous êtes un étranger, à « passer de l'autre côté » afin de vous rejoindre sur vos terres dans le jeu infini des questions-réponses. Ainsi lancés dans l'aventure, vous vous trouvez au début d'une expédition sans limites pour apprivoiser l'espace qui vous entoure et donner à voir celui que vous portez en vous.

À vous de jouer !

Table

Composition réalisée par NORD COMPO

Imprimé en France par CPI
en mai 2015

Dépôt légal : mars 2005
N° d'édition : 54571/02
N° d'impression : 128643